Este libro
pertenece a:

Nadya Prieto

Título original: *Girls Rule*
Traducción: Nora Escoms
Dirección de arte: Trini Vergara
Diseño: Renata Biernat
Colaboración editorial: Cristina Alemany

© 2002 Blue Mountain Arts
© 2003 V & R Editoras

www.vreditoras.com

ARGENTINA: San Martín 969 10º (C1004AAS) Buenos Aires
Tel./Fax: (54-11) 5352-9444 y rotativase-mail:
editorial@vreditoras.com

Vergara y Riba Editoras, S.A. de C.V
MÉXICO: Av. Tamaulipas 145 - Colonia Hipódromo Condesa
(CP 06170) Delegación Cuauhtémoc - México D.F.
Tel./Fax: (5255) 5220-6620/6621 • 01800-543-4995
e-mail: editoras@vergarariba.com.mx

ISBN: 978-987-9338-38-4

Impreso en México, mayo de 2014
Ultradigital Press, S.A. de C.V.

Rice, Ashley
  Solo para chicas. - 1a ed. 4a reimp. - Ciudad Autónoma
de Buenos Aires : Vergara & Riba Editoras, 2014.
  64 p. ; 22x15 cm.

  ISBN 978-987-9338-38-4

  1. Literatura Infantil y Juvenil Estadounidense. I. Título.
CDD 813

Sólo para chicas

Un libro creado
especialmente para ellas

Ashley Rice

EDITORAS

Introducción:

Las imágenes, las palabras y los poemas que encontrarás
en estas páginas están creados desde el corazón, para que
comprendas todas las posibilidades que tienes a tu alcance
y para recordarte lo valiosa y talentosa que eres.

Pero este libro también trata sobre las cosas simples
de la vida, porque cuando intentas lograr grandes objetivos
-crecer, cumplir tus sueños y abrirte camino en el mundo-
es bueno tener presentes los pequeños detalles que te hacen
feliz. Por ejemplo, entre esos detalles pueden estar leer
libros y, a veces, comer chocolate.

Entonces, de eso tratan estas páginas: de la vida de las
chicas (que está llena de deseos, colores, cosas divertidas
y chocolate), y también de lecciones difíciles para aprender.
Porque, a pesar de su dificultad, esas lecciones nos ayudan
a hacer realidad nuestros sueños. Sí, hay que luchar por
los sueños -de eso también habla este libro- pero primero,
hay que soñar. Y soñar a lo grande. No importa qué momento
estés atravesando o hacia dónde te diriges: nuestro deseo
es que tus días sean maravillosos, que tengas muchos sueños
y que todos esos sueños se cumplan.

Una chica en el mundo
es algo maravilloso...

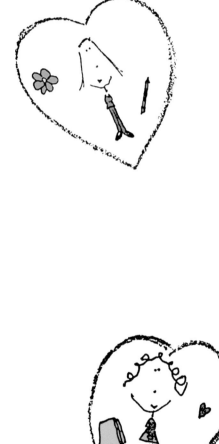

Sí, aunque a veces lo dudes
o creas lo contrario,
una chica en el mundo
es algo maravilloso.
Puede hacer cualquier cosa
que se proponga.
Puede escribir un libro.
Puede crear una banda de música.
Puede convertirse en médica.
Puede soñar y hacer planes.
Puede enfrentar la adversidad.
Puede mantener la frente bien alta.
Y haga lo que haga
es fuerte.
Es casi invencible.
Créelo:
una chica en el mundo
es algo maravilloso.

En tu camino por el mundo, siempre cree
en tus sueños. Mira hacia el futuro, hacia todo
lo que deseas llegar a ser. No te dejes desalentar
si te hablan de la mala suerte; no te dejes
vencer por tus errores: aprende de ellos,
perdónate... o perdona a los demás, y sigue
adelante. Que los problemas no te molesten
ni te desanimen. Enfréntalos como un desafío.
Hazte fuerte con el coraje necesario para
superar los obstáculos. Aprende cosas.
Aprende algo nuevo cada día.

Interésate por los que te rodean y en lo que
podrías aprender de ellos. Pero no te busques
en los rostros de los demás. No quieras encontrarte
en la aprobación de los otros. En lo que respecta
a quién eres y quién serás, la respuesta siempre
está dentro de ti. Cree en ti misma. Sigue
a tu corazón y a tus sueños. Será inevitable
que cometas errores, igual que todo el mundo.
Pero mientras seas fiel a la fuerza que se
esconde en tu corazón... no te equivocarás.
Toda la fuerza que necesitas está en tu interior.

Pase lo que pase, nunca renuncies a tus sueños.

Recuerda siempre que...

alguien te ama.

Una chica especial

Es una chica que se arriesga, que escucha,
que logra que los otros cambien sus ideas.
Es la primera en llegar, la última en marcharse,
la que tiende su mano más rápidamente.
Se dan la vuelta para mirarla. Es una chica que
recuerda, que no se apresura, que se esfuerza,
que reflexiona, que ríe. Es única, irreemplazable,
irrepetible pero real.

Esa chica... ¡eres tú!

En este mundo...

existe sólo una sola persona
como tú.

Tienes
tus propios caminos.

Tus propios zapatos
para andar por la vida.

Eres la única
que sonríe
de ese modo
tan especial.

Sólo tú puedes
pensar y vivir
tus proyectos.

 Eres única.

Como son únicas
cada flor y cada estrella.

Has creado tus propios sueños
y también
tus ideas sobre
cómo alcanzarlos...

Como el arco iris, les das color
a todos los lugares por los que vas.
Como una puesta de sol, les agregas brillo.
Con la paciencia de los bosques,
esperas que tus sueños crezcan.
Y como la flor más especial del jardín...

creces
más fuerte
y más bella
cada día.

Sigue creciendo
de todas las maneras

Eres:

1. talentosa
2. fuerte
3. valiente
4. fiel a ti misma
5. leal

Y, lo más importante,

6. jamás te das por vencida.

Porque amas las palabras...
tal vez algún día,
escribas un libro.

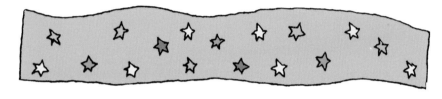

La gente te busca porque les pones voz
a los sueños, porque percibes las cosas pequeñas
y haces que lo imposible parezca real.

Piensas que vale la pena intentar entender
el mundo y tienes el coraje de sumergirte
en él para cambiar lo que no te gusta.

Eres alguien que cree en las personas, en mirar
un cielo con nubes de plata, en los colores,
en las cábalas mágicas. Eres alguien que sueña
despierto. Sé valiente. Sé agradable. Sé salvaje.
Ve lejos. Las palabras hacen más que plantar
semillas milagrosas. Si tú las escribes, pueden
transformar el mundo.

Si pudieras leer un libro
sobre tu futuro, empezaría
más o menos así →

Un día, descubrirás que todos los sueños que plantaste cuando eras pequeña han florecido en girasoles inmensos. Un día, mirarás a tu alrededor y verás el mundo ante tu puerta. Un día, moverás montañas y escribirás tu nombre en el cielo.

Muchas personas hablan de los sueños
como si pertenecieran a un mundo
de fantasía, como las hadas, los anillos
mágicos y las tierras encantadas.
Otras sólo creen en los sueños lejanos,
como las estrellas o los castillos
en el mar, habitados por duendes.

Hay quienes sueñan despiertos
y quienes sueñan dormidos con lugares
maravillosos. Usan mucha imaginación y,
para ellos, soñar es un don.

Pero los soñadores de verdad
son aquellos que atrapan sus sueños
y los traen a la vida para demostrar
que, cuando soñaban, era en serio.

Cómo ser:

una estrella de rock,
la ganadora de un premio, maestra,
astrofísica, novelista,
luchadora profesional, actriz,
pintora, periodista de la radio,
editora, directora de cine,
guitarrista, astronauta,
cantante, diseñadora,
dibujante, inventora,
arquitecta, constructora,
productora, escritora, atleta,
programadora, bailarina,

en un solo paso...

1. Ve tras ello.

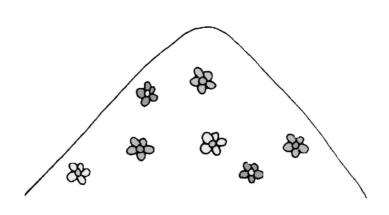

Cuando la tarea que tienes entre tus manos
es una montaña frente a ti,
puede parecerte muy difícil escalarla.
Pero no tienes que subirla
de un tirón.
Sólo paso a paso.
Da un paso, uno pequeño...
luego otro...
y verás...
que esa tarea que parecía una montaña
frente a ti...
es la montaña que acabas de escalar.

Imagina la historia de una persona muy valiente,
capaz, brillante y talentosa. Frente a esa persona
hay una montaña muy alta. Debe conquistar
esa montaña para llegar a su objetivo: la tierra
de los sueños, que está justo del otro lado. ¿Ves
a esa persona? Es pura decisión. Ya ha vencido
antes obstáculos similares. Mírala ahora mientras
empieza a escalar.
Esta es tu historia. Eres tú frente a la montaña,
ahora. Ve, encuentra la tierra de tus sueños.

Puedes hacerlo.

Puedes lograr
que todo sea posible

· ☆ ·

Si alguien trata de convencerte de que
no conseguirás lo que te propones por mucho
que te esfuerces, demuéstrale que eres más
fuerte de lo que piensa.

No escuches a nadie que intente desalentarte:
estás donde te corresponde.

Si alguien te dice que no puedes cantar
tu propia canción, o abrir tu propio
camino en el mundo...

pruébale que se equivoca.

Todo el mundo tiene un ángel a su lado...

No siempre puedes verlo
porque a veces es invisible.

Puede ser tu mascota
cuando te besa...

Puede ser un pequeño tesoro
que encuentras...

Un ángel podría, incluso, ser tu amigo.

Esos ángeles son silenciosos,
pero pueden estar diciendo:
"¡Nubes rosadas! Este será un buen día".

Por eso, si empiezas a preocuparte
demasiado, recuerda...

en alguna parte hay un ángel
que te cuida.

Hermandad de chicas

Flores hoy
por la hermandad
de las chicas:

...por el brillo labial
y los pantalones,

...por los viajes en auto,
las gaseosas y los sueños
compartidos,

...por quedarnos hasta
tarde conversando,

...por los tiempos
del colegio

...y los días de la
universidad

...y por todos
los años juntas.

Flores por las
amigas-hermanas
con las que
crecimos...

Y por las que encontramos
a lo largo del camino.

Hay mujeres que cambiaron
mi vida porque me enseñaron cosas.
Hay mujeres que cambiaron mi
vida porque fueron mis amigas.
Y hay mujeres que
cambiaron mi vida
porque eran
mujeres.

Eres
una mujer
asombrosa.

Unas pocas lecciones
sobre la vida...

cuando estés
por viajar,

hay algunas cosas
que puedes hacer
para estar
más tranquila...

lleva tu osito
de peluche;

unas fotos
de momentos
felices

y tu libro
preferido;

despídete
de tus amigos...

y de los lugares
cercanos a tu corazón.

(Si crees que eres demasiado grande
para el osito de peluche, puedes
llevar alguna otra cosa en su lugar.
Pero, de verdad, nadie es demasiado
grande para un osito de peluche.)

Mientras estés fuera
de casa...

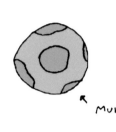

mundo

mapa

ángel

no te olvides de los que te quieren...

recuerda:
cuídate...

← ropa
  limpia

duerme bastante

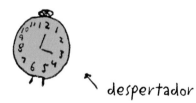

↑ despertador

¡y come comidas saludables!

Cuando las cosas
se pongan difíciles...

date un largo baño caliente.

Tomar ese baño no cambiará nada, pero...
mientras estés allí, no tendrás responsabilidades:
por ejemplo, estarás mojada, por lo tanto, nadie
podrá pedirte que hagas nada... no podrás
estudiar porque se te mojarían los libros...
no podrás atender el teléfono, ni leer tu correo
electrónico ni dar mensajes...

(...tal vez debería ser un baño bien largo...)

Algunos días...
simplemente
tienes que olvidarte
de todo...

...y bailar.

Este es
tu ángel de la guarda
diciendo que,
aunque las cosas
parezcan un poco
locas vistas desde
donde estás,
desde arriba
se te ve
bastante bien...
Ese lío
que te tiene
tan preocupada...
no es más
que una nube gris...

del otro lado
está escondido el arco iris.

No creas que es tan
terrible estar triste
o deprimida, o dejar
de creer en el sol por
un tiempo. No te preocupes
demasiado si te sientes
vacía o perdida, o si
no tienes ganas de sonreír.

No creas que está mal
no tener ganas de hacer
nada durante todo un día,
o tener miedo, o estar
cansada o melancólica.
Todo el mundo se pone
triste de vez en cuando.
Y llorar y sufrir
—igual que reír y soñar—
son cosas que todo el
mundo hace.

acerca de los sueños:

¡Ah!, si no fuera por los elefantes
que vuelan, las escaleras imposibles,
los sauces llorones y las focas que
hablan, ¿qué sería de nosotras?
¡Ah!, si no fuera por los abecedarios
que ríen, las historias tontas y los
conejos locos que bailan en el cielo,
¿cómo atravesaríamos las noches?
¡Ah!, si no fuera por la voluntad
de leer y soñar, y bailar en los patios,
y pintar entre líneas, ¿cómo podríamos
decir que nada está perdido?

Aférrate a tus sueños;
son tan preciosos como la risa...
son eternos, como las estrellas.

acerca del amor:

Lo extraño del amor es que puede
hacer que tu corazón se ponga a latir
muy a prisa y, de pronto, parezca
detenerse. Lo extraño del amor es que
puede hacerte reír y luego llorar.

Lo extraño del amor es
que no es justo:
puedes ser amada
por alguien a
quien no amas,
y puedes
amar
a alguien
que no
corresponda a tu amor.

Lo extraño del amor es que siempre vale la pena, y lo extraño del amor es que siempre está ahí, en alguna parte, en tu vida. Lo extraño del amor es que tienes que creer en él para que sea cierto, y lo extraño del amor es que aunque sea una historia diferente a la que esperabas, de alguna manera, finalmente se resuelve.

El amor es extraño, ¿verdad?
Pero confía en él. Estará todo bien...

acerca de la amistad:

La amistad está
en el corazón,
en el mismo corazón
de todo lo importante.

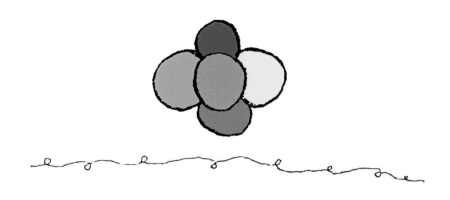

El cariño de una amiga:

atravesar juntas los días buenos
y los malos, una mano tendida,
un corazón para compartir todo...
alguien con quien siempre puedes
contar para festejar y encontrar
el arco iris...
no hay tesoro más especial.

Las amigas son ángeles
enviados a la tierra
para ayudarnos a encontrar
nuestro camino.

tu estrella

Hay una estrella en el cielo...
sólo para ti.
Esa estrella hará
que tus sueños se hagan realidad.

Por eso, en caso de que hayas
tropezado...
no estés triste.
Esa estrella en el cielo...
cree en ti.

Y, por si te lo estabas preguntando...

¡Yo también!

(Creo en ti y en tu estrella.)

eres una estrella
muy especial
en este mundo...

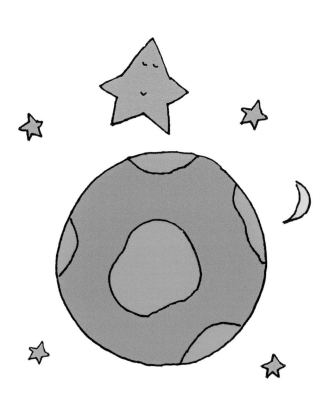

sigue andando y brilla
sigue andando y brilla
sigue andando
y brilla.

Ubica este libro junto a tu cama,
cerca de la almohada donde apoyas
la cabeza, y recuerda que la luna
ilumina la noche, las estrellas velan
y los ángeles cuidan de ti;
ellos escuchan tus sueños.
Ahora cierra los ojos, descansa,
duerme tranquila en tu cama.
Piensa en tus cosas favoritas
y sueña sueños maravillosos.

Un lugar
para escribir tus sueños

Acerca de la autora

Ashley Rice creció en Texas, Estados Unidos, y ha vivido en California, New York y New Jersey, donde estudió Lengua Inglesa en la Universidad de Princeton.

Durante sus años de universidad, comenzó a crear su propia colección de tarjetas, con espíritu de divertirse y dar ánimo a sus compañeras de estudios.

Ashley vive hoy en Boston, en una fábrica de pianos reformada. Continúa creando tarjetas y libros mientras realiza un Master de Literatura.

¡Tu opinión es importante!

Escríbenos un e-mail a miopinion@vreditoras.com con el título de este libro en el "Asunto".

Conócenos mejor en:
www.vreditoras.com • facebook.com/vreditoras